KU-516-354

LISBOAPANORAMAS

nuno**cardal** | pedro**dias**

LISBOAPANORAMAS

3.ª edição | 3rd edition

Quimera

A capital à imagem do país: um lugar existindo na sobreposição de tempos e velocidades. Um tempo lento, *morno* (de *morna*, de *saudade*), analógico, a cheirar a ginja e a caracóis, sobrevivendo aos grandes debates e planos para a (renovada) nação, tempo tenaz que se perpetua nos edifícios, nas calçadas medievas, nos trilhos dos carros eléctricos de época, que exalta o típico, o popular, o antigo – mas também a história comum ibérica, os reinados católicos, o império, o cartesianismo pombalino, o Estado Novo. E um tempo emergente, perfeitamente diacrónico (por vezes mesmo inaugurando vanguardas), espraiando-se a partir da parte oriental da cidade – que acolheu em 1998 a última grande Exposição Mundial do século XX. Trata-se claramente aqui de uma cidade nova, tecnológica, celebrando a arquitectura e o engenho universais. E sempre o rio, imenso e irreal na sua majestade, simbolicamente definindo a amplitude do destino português.

Destino talvez originalmente traçado por Ulisses, a quem as lendas atribuem a fundação de Lisboa, erguida frente ao Tejo, ancorada numa colina, mais tarde multiplicada por 7, por via do despeito de uma mulher-serpente. Destino seguramente marcado pela colonização fenícia, e pela brandura de um rio vocacionado para levar e trazer gente,

The capital is a reflection of the country: a place existing within overlapping times and speeds. First, there is the slow period, warm (with the traditional sounds of the morna, and the Portuguese nostalgic spirit of saudade), analogical, with the smell of cherry brandy and snails, which has survived the great debates and plans for the (renewed) nation, a tenacious time which persists in the buildings, in the medieval streets, in the tracks of the trams of the period, and which glorifies the typical, the popular, the ancient – but also the common history of Iberia, the reigns of Catholic kings, the empire, the Pombaline Cartesianism, the *"Estado novo"*. And then there is an emerging period, which is perfectly diachronic (sometimes even hailing vanguards), spreading forth from the Eastern part of the city – which hosted the last great World Expo of the twentieth century in 1998. Here is clearly a new, technological city, celebrating universal architecture and ingenuity. And ever present is the river, vast and imaginary in its majesty, symbolically defining the scope of this Portuguese destination.

This destination may well have originally been mapped out by Ulysses, who, legend has it founded the city of Lisbon, and built facing the Tagus River, anchored on a hill, later to be multiplied by seven, out of the spite of a Queen serpent. And it is a destination certainly marked by the Phoenician colonization, and by the calm

e em cujas margens um vento ameno fecundaria as éguas mediterrânicas de outrora.

Lisboa, a segunda mais antiga cidade da União Europeia (seguindo-se a Atenas), é hoje um dos mais procurados destinos turísticos europeus. *Et pour cause*. As fotografias de Nuno Cardal e Pedro Dias demonstram exemplarmente o carácter universalista de Lisboa, uma cidade aberta sobre o mundo, despudoradamente abraçando novos paradigmas e utopias. Retratos actuais de uma cidade multiforme nos seus encantos, as imagens que este livro propõe documentam a diversidade e riqueza plástica de um território urbano de excepção. O trajecto fotográfico segue de perto o curso da água, que jardins, aqueduto, calçadas, pontes, porto, fontes, monumentos históricos, constantemente evocam.

E nas ruas de Lisboa, onde a numeração se faz partindo sempre do rio para só depois galgar as colinas, caminha-se a passo largo e de peito aberto, inspirando a luz das tardes de sol como não há outras. Ou então vai-se de eléctrico amarelo, os olhos gratos, as ruas enchendo-se de vozes à passagem pelas casas de fado, onde as guitarras *gemem* e se canta *até que a voz doa* – a saudade, a solidão, os amores contrariados, as vidas de miséria e privação, os nobres sentimentos, os ventos que trazem novas, as horas marcadas pelo destino.

Sarah Adamopoulos

of a river destined to bring people back and forth, on the banks of which a pleasant breeze impregnated the Mediterranean whitecaps of times gone by.

Lisbon, the second oldest city in the European Union (after Athens), is today one of the most sought after tourist destinations in Europe. *Et pour cause*. The photographs by Nuno Cardal and Pedro Dias demonstrate perfectly Lisbon's universal nature, a city open to the world, unashamedly embracing new paradigms and utopias. Modern day portraits of a city of multiple charms, the images presented in this book document the diversity and artistic wealth of an exceptional urban territory. The photographic trail closely follows the course of the water which is constantly evoked by gardens, the aqueduct, paved streets, bridges, the port, fountains and historic monuments.

And in the streets of Lisbon, where the numbering system always begins at the river and only later leaps out to the hills, one walks with broad steps and an open heart, lapping up the glow of the sunny afternoons that are unequalled. Or one may travel by yellow tram, gratefully taking in the sights, passing by fado houses where the streets are filled with the sounds of voices, where guitars moan and voices sing until it hurts – the saudade, the solitude, the forsaken passions, the lives of misery and deprivation, the noble sentiments, the winds that bring change, the hours marked by destiny.

Sarah Adamopoulos

1. 2. **Torre Vasco da Gama** Vasco da Gama Tower
| 3. **Ponte Vasco da Gama** Vasco da Gama Bridge

1

2

1. 2. **Ponte Vasco da Gama** Vasco da Gama Bridge

1

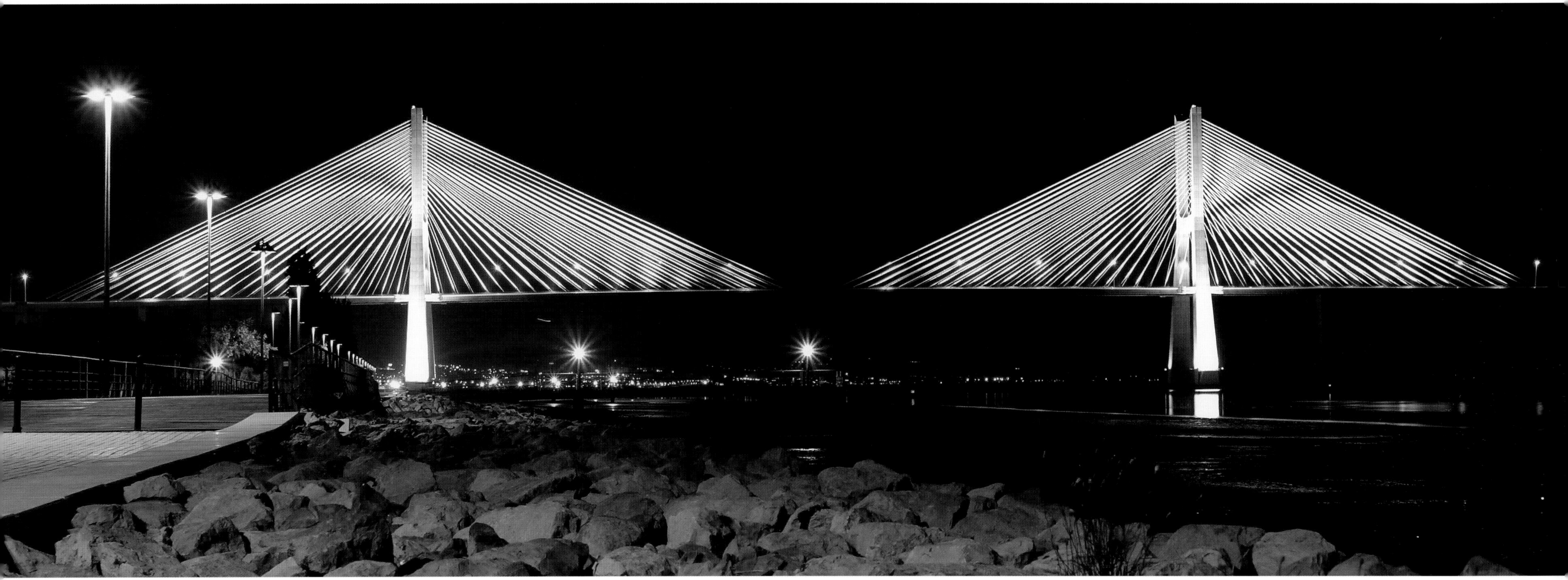

1. Fonte do Parque das Nações Nations Park Fountain | 2. Oceanário e Pavilhão Atlântico Lisbon Oceanarium and Atlantic Pavilion

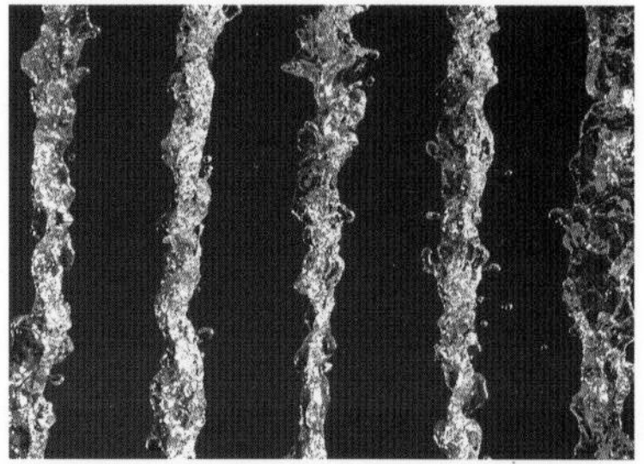
1

1. 2. **Entrada do Oceanário com a mascote Vasco** Entrance to the Oceanarium with the Vasco mascot | 3. **Parque das Nações visto do teleférico: Oceanário (à esquerda) e Pavilhão de Portugal (à direita)** Nations Park from the cable car: Oceanarium (left) and Portugal Pavilion (right)

1

2

1. 2. 3. **Oceanário** Oceanarium

1

2

1. Pavilhão de Portugal, um projecto do arquitecto Siza Vieira Portugal Pavilion, designed by the architect Siza Vieira | 2. Parque das Nações Nations Park

1

1. 3. **Gare do Oriente, um projecto do arquitecto Santiago Calatrava** Oriente Railway Station, designed by the architect Santiago Calatrava | 2. **Entrada do Centro Comercial Vasco da Gama** Entrance to Vasco da Gama Shopping Centre

1 | 2

1. 2. 3. **Feira da Ladra** Flea Market

1

2

1. 2. 3. **Feira da Ladra** Flea Market

1

2

FIRE HEROES
ERRES
ISRAEL

1. 2. 3. **Igreja de Santa Engrácia - Panteão Nacional** Santa Engrácia Church - National Pantheon

1

2

1. 3. **Mosteiro de S. Vicente de Fora** Monastery of S. Vicente de Fora | 2. **Bairro típico** Typical quarter

1

2

1. 2. **Fonte Luminosa, Alameda D. Afonso Henriques** Illuminated Fountain, Alameda D. Afonso Henriques

1

1. 2. 3. **Fábrica de Cerâmica Viúva Lamego** Viúva Lamego Ceramics Works

1

2

1. 3. **Alfama (bairro típico)** Alfama (typical quarter) | 2. **Casa de Fado** Fado House

1

2

BRUNO
CARA-

1. **Portas do Sol** Portas do Sol | 2. **Eléctrico, carreira n.º 28** No. 28 Tram

1

574
carris

1. **Candeeiro típico com a caravela e os corvos, símbolos da cidade** Typical lamp with the tall ship and ravens, symbols of the city | 2. **Vista de Lisboa: Castelo de S. Jorge e Sé Catedral** View of Lisbon: S. Jorge's Castle and Lisbon Cathedral

1

1. 2. **Sé Catedral: pormenores** Lisbon Cathedral: detail | 3. **Vista da Sé e da Casa dos Bicos** View of Lisbon Cathedral and Casa dos Bicos

1

2

1. 2. **Bairro do Castelo** Castle quarter | 3. **Vista do Castelo de S. Jorge** Lisbon from S. Jorge's Castle

1

2

1. 2. 3. **Castelo de S. Jorge** S. Jorge's Castle

1

2

1. **Cacilheiro** "Cacilheiro", typical boat operating between the two banks of the River Tagus
2. **Eléctrico, percurso turístico** Tram, tourist route | 3. **Praça do Comércio** Praça do Comércio

1

2

1. 2. 3. **Arco Triunfal da Rua Augusta** Arc de Triomphe at Rua Augusta

1

2

VIRTVTIBVS
MAIORVM
VT. SIT. OMNIBVS. DOCVMENTO. P. P. D.

1. Estátua de Eça de Queiroz Statue of Eça de Queiroz, one of the most important Portuguese novelists of the nineteenth century | **2. Vista de Lisboa** View of Lisbon

1

1. 2. **Pratos típicos: pastéis de bacalhau e caracóis** Typical dishes: salted cod patties and snails | 3. **Tuna académica** University band

1

2

reduziert
saldos
rebajas
reduziert
saldos
rebajas

1. **Miniaturas típicas** Typical miniatures | 2. **Largo do Chiado. Em primeiro plano, estátua do poeta Fernando Pessoa** Largo do Chiado. In the foreground, statue of the poet Fernando Pessoa

1

Tramcar
&
Open top-bus
Sightseeing
Join us at
Comércio
COMPANHIA CARRIS DE FERRO DE LISBOA
LARGO
CHIADO

1. **Elevador da Glória** Glória Funicular | 2. **"Luzboa" (bienal internacional de luz)** "Luzboa" (International Light Biennial)

1

1. 3. Bairro Alto e bairro da Bica Bairro Alto and Bica quarter |
2. Prato típico: sardinhas assadas Typical dish: grilled sardines

1

2

RUA
DA BICA DE
DUARTE BELO

1. 2. **Lojas de "Ginjinha"** Shop selling "Ginjinha", traditional cherry brandy | 3. **Venda de bacalhau, base de vários pratos tradicionais portugueses** Salted cod on sale, the main ingredient in a variety of traditional Portuguese dishes

1

2

CONSERVEIRA
ATUM
TUNA
BACALHAU
CURA
AMARELA
27.50
BACALHAU
GRAUDO
ISLANDIA
BACALHAU
CORRENTE
NORUEGA
BACALHAU
CRESCIDO
NORUEGA

1. 2. Ruínas do Convento do Carmo e Elevador de Santa Justa Ruins of Carmo Convent and the Santa Justa Lift | **3. Baixa lisboeta vista do Elevador de Santa Justa** Downtown Lisbon from the Santa Justa Lift

1

2

HOTEL

1. 2. **Fachadas de azulejo na baixa lisboeta** Tile-fronted buildings in downtown Lisbon | 3. **Rossio** Rossio

1

2

1. 2. **Lojas tradicionais** Traditional shops | 3. **Rossio e Teatro Nacional D. Maria II** Rossio and the D. Maria II National Theatre

1

2

1. **Galo de Barcelos** The Barcelos Cock, one of the national symbols | 2. **Castelo de S. Jorge visto do Jardim de S. Pedro de Alcântara** S. Jorge's Castle from S. Pedro de Alcântara Garden

1

1. **Monumento aos Heróis da Grande Guerra** Monument to the Heroes of the Great War | 2. **Avenida da Liberdade** Avenida da Liberdade

1

2

1. **Jardim da Estufa Fria** Conservatory Garden |
2. **Praça Marquês de Pombal** Marquês de Pombal

1

2

1. 2. **Estátua de Botero: "Maternidade"** Statue by Botero: "Maternidade" | 3. **Parque Eduardo VII** Eduardo VII Park

1

2

1. 2. 3. **Praça de Touros do Campo Pequeno** Campo Pequeno Bullring

1

2

1. 2. 3. **Jardim Zoológico** Zoological Gardens

1

2

1. 2. **Jardim Zoológico – baía dos golfinhos** Zoological Gardens – dolphin bay

1

1. **Jardim do Campo Grande, estátua de Botero** Campo Grande Garden, statue by Botero | 2. **Jardim Zoológico** Zoological Gardens

1

1. 2. 3. Aqueduto das Águas Livres Águas Livres Aqueduct

1

2

1. 2. **Jardim do Príncipe Real** Príncipe Real Garden

1

1. **Cozido à Portuguesa** Typical dish: "cozido à Portuguesa"
| 2. **Miradouro de Santa Catarina** Santa Catarina Viewpoint

1

MALVERN

1. Pavilhão de Exposições, Instituto Superior de Agronomia Exhibitions Pavilion, Higher Institute of Agronomy | 2. **Vista do rio Tejo e da Ponte 25 de Abril** View of the River Tagus and the 25 de Abril Bridge

1

LINEA MESSINA

1. **Monumento aos Combatentes do Ultramar** Monument to the Ultramarine Fighters | 2. **Jardim e farol junto ao Tejo** Garden and lighthouse by the River Tagus

1

1. 2. 3. **Jardim Botânico da Ajuda** Ajuda Botanical Gardens

1

2

1\. 2. 3. **Render solene da guarda ao Palácio de Belém**
Changing of the Guard ceremony at Belém Palace

1

2

1.2. **Exibição equestre da Guarda Nacional Republicana**
Riding exhibition of the National Republican Guard

1

1.2. **Mosteiro dos Jerónimos: vitral e portal sul** Monastery of Jerónimos: stained glass window and south door | 3. **Mosteiro dos Jerónimos e Fonte Luminosa** Monastery of Jerónimos and Illuminated Fountain

1

2

1. **Planisfério empedrado** Planisphere cut in stone |
2. **Padrão dos Descobrimentos** Discoveries Monument

1

1. Torre de Belém Belém Tower | 2. Torre de Belém e monumento à primeira travessia aérea do Atlântico Sul Belém Tower and monument to the first flight across the South Atlantic

1

1. 2. **Torre de Belém** Belém Tower

1

1. **Porto de Lisboa e Ponte 25 de Abril** Port of Lisbon and 25 de Abril Bridge
| 2. **Torre de controlo do Porto de Lisboa** Control Tower of the Port of Lisbon

1

1. 2. **Fragata "D. Fernando II e Glória"** The Frigate "D. Fernando II e Glória" | 3. **Cristo Rei** Cristo Rei

1

2

1. **Lisboa vista da margem sul** Lisbon from the south bank | 2. **Ponte 25 de Abril – meia maratona de Lisboa** 25 de Abril Bridge – Lisbon half-marathon

1

70
40
via
card

1. **Lisboa vista da margem Sul** Lisbon from the south bank | 2. **Ponte 25 de Abril vista da margem Sul** 25 de Abril Bridge from the south bank

1

1. **Lisboa ribeirinha** Riverside Lisbon

ÍNDICE CONTENTS

9
11
13
15
17

19
21
23
25
27

29
31
33
35
37

39
41
43
45
47

49
51
53
55
57

59
61
63
65
67

69
71
73
75
77

79
81
83
85
87

89
91
93
95
97

99
101
103
105
107

109
111
113
115
117

Nuno Cardal nasceu em Lisboa em Maio de 1967. No ano de 1990, licenciou-se em História pela Faculdade de Letras da Universidade de Coimbra, onde começou a desenvolver alguns trabalhos na área da fotografia. O seu percurso profissional esteve sempre ligado às áreas da cultura e da publicidade. Foi responsável pelo Programa Comunitário de Desenvolvimentos de Infra-Estruturas Turísticas e Culturais, exerceu funções de produção no programa cultural da RTP "Ponto por Ponto", trabalhou em várias empresas de publicidade e desenvolveu a rede de vídeo-painéis que hoje se encontra por Lisboa, cidade onde reside. É autor do livro *McCann - 65 anos de Publicidade em Portugal*. Como fotógrafo profissional, coordenou e executou o trabalho fotográfico para uma enciclopédia sobre Lisboa. Publicou na Quimera, em co-autoria, os livros *Lisboa Iluminada* (2004), *Portugal Iluminado* (2005) e *Porto Iluminado* (2006).

Pedro Dias nasceu em Lisboa em Julho de 1977. Trabalhou para várias empresas de publicidade e participou no projecto de vídeo-painéis que hoje se encontram na rede do Metropolitano e na cidade de Lisboa. Dirigiu a área de fotografia das publicações angolanas do grupo Gala & Eventos e desenvolve actualmente funções de coordenador de animação do Estádio da Luz. Repórter, editor e pós-produtor de vídeo, é fotógrafo profissional desde 1994. Participou no trabalho fotográfico para uma enciclopédia sobre Lisboa e publicou na Quimera, em co-autoria, os livros *Lisboa Iluminada* (2004), *Portugal Iluminado* (2005) e *Porto Iluminado* (2006).

Nuno Cardal was born in Lisbon, in May 1967. In 1990 he graduated from University of Coimbra, Faculty of Arts, with a degree in History, and there he started to work in the field of photography. His professional career has always been linked to advertising and the cultural field. Nuno Cardal was responsible for the Community Programme for the Development of Tourism and Cultural Infrastructures, was involved in the production of the cultural programme "Ponto por Ponto" on RTP (Portuguese Public Television), worked in several advertising agencies and developed the network of video-panels that can be seen in Lisbon. He is the author of the book entitled *McCann - 65 Years of Advertising in Portugal*. As a professional photographer, he coordinated and executed the photographic work for an encyclopaedia on Lisbon. He is the co-author of *Illuminated Lisboa* (2004), *Illuminated Portugal* (2005) and *Illuminated Porto* (2006) published by Quimera.

Pedro Dias was born in Lisbon, in July 1977. He has worked for several advertising agencies and was involved in the project of video-panels that can be seen today in the Underground network and in the city of Lisbon. Pedro Dias managed the photography section for the Angolan publications of the group Gala & Eventos and is presently an activity coordinator in the football field Estádio da Luz. As a reporter, editor and video post-producer, he is a professional photographer since 1994. He participated in the photographic work for an encyclopaedia on Lisbon and he is the co-author of *Illuminated Lisboa* (2004), *Illuminated Portugal* (2005) and *Illuminated Porto* (2006) published by Quimera.

© Nuno Cardal, Pedro Dias & Quimera Editores, 2007

tradução translation **Michelle Wells**
grafismo design **Quimera Editores**
pré-impressão prepress **Textype**
impressão e acabamento printing and binding **Printer Portuguesa**

1.ª edição | 1st edition 2007
2.ª edição | 2nd edition 2007
3.ª edição | 3rd edition 2008

Depósito legal: 264725/07 | ISBN: 978-972-589-173-5

Todos os direitos reservados por All rights reserved by
Quimera Editores, Lda. | **quimera@quimera-editores.com** | **www.quimera-editores.com**

Todas as fotografias são propriedade dos autores e não podem ser reproduzidas a partir desta edição. Nenhuma parte deste livro pode ser reproduzida sob qualquer forma (electrónica, mecânica, fotocópia, fotográfica, cinematográfica, etc.) sem a autorização por escrito dos autores e da editora. Qualquer transgressão é passível de procedimento judicial.

All rights reserved. No part of this publication may be reproduced or transmitted in any form or by any means, electronic or mechanical, including photocopy, recording or any information storage and retrieval system, without permission in writing from the authors and publisher. Any infringement of these terms may result in legal proceedings.